A WORLD RICH IN ANNIVERSARIES

A WORLD
RICH IN ANNIVERSARIES

JEAN FOLLAIN

With Translations by
Mary Feeney & William Matthews

LOGBRIDGE - RHODES, INC.

The prose poems in *A World Rich In Anniversaries* were selected from Jean Follain's collections *Tout instant* (1957) and *Appareil de la terre* (1964), both © Editions Gallimard, Paris. The present edition is published with Gallimard's kind permission.

Printed in the United States of America for:

Logbridge-Rhodes, Inc.
Post Office Box 3254
Durango, Colorado 81301

This is the first edition.

à Madeleine Follain

A WORLD
RICH IN ANNIVERSARIES

OUVRANT SES MAINS, un homme pense: Méticuleux boulangers nous demeurons avec vous quand nous reprend la lassitude de lire. Vous ne pouvez empêcher que des insectes restent pris dans la pâte du pain. En donnant un douze livres à l'enfant qui le rapportera dans un hameau à plus d'une lieue, vous dites: Sauras-tu le porter jusqu'au bout, il est lourd, sauras-tu? Des femmes, en regardant des larmes de pâte sur un avant-bras de mitron ressentent la tendresse obscure dans le même temps que s'embrasent leurs chaumières. Les miches, dans des corbeilles tressées, montrent crevasses et brûlures et quand on les coupe ces trous à parois lisses qu'on dénomme leurs yeux.

OPENING HIS HANDS, a man thinks: Meticulous bakers, it is with you we live when reading wearies us. You can't keep insects from lying trapped in the bread dough. Giving a huge loaf to a child who will take it back to his village over a couple of miles away, you say: Can you carry it all the way, it's heavy, can you make it? Women, seeing the tears of dough on an apprentice's forearm, feel a vague tenderness at the same time the sun blazes on their thatched cottages. The big round loaves in woven baskets show crevices and burnt spots, and, when cut, those smooth-walled holes known as their eyes.

Ce garçon combat l'angoisse un jour que des pluies de pétales tombent, les chiens restant graves. Des filles se dressant réveillées, le soleil tombe sur leurs torses, une guêpe bourdonnant au pli d'un rideau; le calendrier des jours, suspendu au mur, se réchauffe. Des hommes boivent dans l'impasse où poussent des plantes chétives. Une assemblée cherche la paix sans pouvoir en trouver les signes. Dans une chambre luit fourbie la cuirasse du début du siècle. Au temps que des régiments francais en portaient de pareilles, Maurice Maindron écrivit des romans de cape et d'épée: il aimait les armures, amené à cet amour par un goût pour les coléoptères. Voilà qu'un hanneton, couleur des feuilles mortes, chemine sur l'objet étincelant en ce moment qui, tous les possibles devant se délivrer, ne reviendra plus.

A BOY is troubled on a day petals pour down and dogs are stolid. Girls get straight up out of bed, sun falls on their torsos, a wasp buzzes in the fold of a curtain; the calendar on the wall grows warm. Men are drinking in the blind alley where some feeble plants poke up. A conference searches for peace without finding a sign of it. In a bedroom, a turn-of-the-century breastplate gleams, well polished. When French regiments wore ones like it, Maurice Maindron wrote cloak-and-dagger novels; he loved armor, a love inspired by his taste for coleoptera. Now a May beetle the color of dead leaves proceeds across the glittering breastplate at this moment—possible as all things are possible—this moment which will never return.

CES PAYSAGES où ils marchent sans voir marquent leur vie, ils se disent que la nuit viendra bien assez tôt. Ils recherchent une auberge dans un ancien champ de bataille. L'insecte se cachait alors sans effroi dans le panache surmontant le chapeau du capitaine qui, vêtu de drap écarlate, sentait venir la peur qu'il maîtrisait sur sa monture vieillie. Herbes lancéolées, feuilles à lobes, corymbes du lierre tremblent dans la rêverie à visages de femmes. Au hameau couleur de pain brûlé, l'une, loin de la mort et renversant le cou, dans la pénombre fraîche se laisse embrasser sa poitrine gorgée de lait.

THE LANDSCAPES they walk through unseeing measure their lives; they tell themselves night should come pretty early. They look for an inn on a former battlefield. Once the plumes of a captain's headgear concealed an impassive insect while the scarlet-coated captain felt fear approach. On his aging mount, he would master it. Spikey grasses, lobed leaves, ivy corymbs waver in a daydream of women's faces. In the hamlet the color of burnt bread, one woman, far from death and tilting back her head, lets her milk-swollen breast be kissed in the cool half-light.

L'ODEUR des vieux papiers se fait plus âcre, les modulations des oiseaux plus ténues. Les pêcheurs au bord de la rivière s'apprêtent à quitter, remisant leur attirail. Une auberge desaffectée conserve une seule habitante. A la fenêtre apparaît sa silhouette ancienne. Elle reste désemparée parce que ce morceau de pâté, que répudierait le médecin des pauvres, sent déjà fort, mais elle décide pourtant de le manger en le faisant revenir à la poêle. Des voix ne lui font plus peur: celle du forgeron, du distillateur, de l'émondeur qui, par leurs romances, ornent ses jours, maintenant, comme ils pensent avec elle, comptés, mais ne le furent-ils pas toujours au plus juste dès sa naissance un jour de plein soleil.

THE SMELL of old papers grows more acrid, the bird-songs more tenuous. Fishermen along the river get ready to leave, repacking their tackle. An abandoned inn has one last tenant. Her ancient silhouette appears at the window. She remains at a loss because her piece of pâté already smells bad; she knows the county doctor would condemn it, but she decides to eat it anyway, heating it up in a pan. The blacksmith, the distiller, the tree pruner brighten her days with their sentimental songs. All of them think, as she does, those days are numbered. But weren't they always, ever since her birth one sunny day?

ON VOIT le marchand de cresson qui n'a guère trouvé de pratiques s'éloigner sur la plaine, comme pour rejoindre la couleur cuivrée d'un vieil horizon. L'usure de la chaussure lui reste un sujet de méditation. A la même heure, au village, quelques hommes se retrouvent chez la mère de l'un d'eux qui leur dit, montrant les pistolets de combat du mari mort: Les armes sont les bijoux des hommes. Elle affirme aussi bien ne pas détester ces filles de gitans qui, malgré leur voyant costume, le déhanchement et le sourire parfois gardent une réserve profonde. Quand la nuit redescend sur les haies sans apparence d'une malédiction, on entend résonner l'école des tambours dans la cour du presbytère désaffecté.

THE CRESS-PEDDLER, hardly a customer richer, disappears along the distance of the plain, as if to meet the coppered color of an old horizon. He never stops pondering the way shoes wear out. At the same time, in the village, several men meet at one of their mother's house. She tells them, displaying her dead husband's pistols: Guns are the jewelry of men. She also declares she does not hate those gypsy girls who, despite their gaudy clothes, hip-swinging and smiles, sometimes maintain a deep reserve. When night comes down on the hedgerows without seeming to be a curse, you can hear drum practice reverberating in the courtyard of the rectory, now headquarters.

A LA MEME HEURE que l'on a commencé, en ville, de jouer au théâtre, en campagne sortent au bord du pré dans la nuit l'homme valide et l'homme infirme à l'œil plus clair, aux bras bien plus forts. Il leur faut alors tendre l'oreille pour percevoir, au fond de l'étendue, les jappements des chiens à collier râpé, à poil dur. Un des deux n'entend pas un aboiement plus sourd et lointain que les autres. Quand ils sont assez demeurés là foulant une herbe noire, avec les cailloux autour d'eux et de grands arbres, ils rentrent dans la maison à bancelles lisses où le feu sera recouvert de cendre jusqu'à l'aube, où la pendule ne cessera pas de scander les minutes d'une Histoire qui invente toujours.

As in the city theater curtains rise, in the country the able-bodied man and the disabled one—clearer-eyed, much stronger in the arms—go night-walking at the edge of a meadow. Then they have to strain to catch, far off, the yipping of wire-haired dogs with worn-down collars. One of them can't hear the dullest and most distant barking. When they've spent enough time treading down the dark grass, stones around them and huge trees, they go back to the house with smooth benches where the fire will be banked with ashes until dawn, and the clock will not stop scanning the minutes of a History forever improvising.

Il N'Y A PLUS de guerre. L'océan est loin. Le fleuve large qui traverse la cité reflète dômes et arcades. Des gens dorment déjà, s'étant établi un lit de chiffons et de papiers. C'est le premier jour d'hiver. Dans la nuit tôt venue roulent des voitures à moteur. Il n'y a presque plus de chevaux. Pourtant, le martèlement de sabots de l'un d'eux demeure assez familier pour ne pas étonner, non plus le son des grelots du collier, chef-d'œuvre d'un bourrelier levé à la première aurore, maître de soi et pourtant sujet aux angoisses des nuits.

T HERE'S NO MORE war. The ocean is distant. The wide river flowing through the city reflects domes and archways. Some people are already asleep on makeshift beds of rags and papers. It's the first day of winter. Motor cars drive through the swiftly fallen night. There are almost no more horses. Still, the clatter of horseshoes is a sound familiar enough not to surprise you. Nor does the jingle of bells on a collar, the masterwork of a harness-maker always up at the crack of dawn, in command of himself and yet subject to the anguishes of night.

AU JOUR DE PAQUES, le vieil homme passe des bijoux aux poignets, aux oreilles et au cou d'une femme à la longue chevelure. Déjà attelée à la voiture jaune et noire, la jument baie, pleine de reflets, hennit. Un marin chante devant une gravure représentant la fin du monde avec le Christ dans les nuées, les morts, pris dans leurs suaires, sortant de leurs tombeaux. Le temps s'emplit d'un futur peut-être redoutable. Un enfant passe sur la route, portant autour du poignet comme bracelet un orvet qui ne bouge pas. Comme cette longue journée du début d'un siècle sera chaude! Devant rester à la maison, une fille déformée ferme des yeux bleus.

ON EASTER SUNDAY the old man puts jewelry onto the wrists, ears, and neck of a long-haired woman. Already hitched to the black and yellow carriage, the glistening bay mare whinnies. A sailor sings by an engraving of the end of the world with Christ in the billowy heavens, the dead caught in their shrouds, leaving their graves. Time fills up with a future that may be fearsome. A child goes by on the road, wearing a motionless garter snake for a bracelet. How hot this long day beginning a century will be! Housebound, a deformed girl closes her blue eyes.

V EUT-ON ressentir une feuille, il faut percevoir en elle la terre prête à trembler dans dix mille ans peut-être. Pour l'heure, le pétiole résiste qui tient solidement à la branche; aux différents moments du jour, les couleurs changent. Au loin, un homme crie, les mains en porte-voix; il a encore devant lui des années à vivre, mais n'a jamais vu la mer ni ne la verra. Sur deux siècles aucun de ses aïeux ne la contemplèrent, sauf un, mort au temps de la Révolution, faussement accusé de trahison et qui se lavait toujours les mains, sur le coup de midi, à la vieille fontaine verdie.

To know how a leaf feels, look into it for the earth ready to quake in perhaps ten thousand years. For now, the leaf-stalk holds out, tight to the branch. Colors change with the different times of day. In the distance a man shouts, hands around his mouth to carry his voice. He has years to live yet, but he has never seen the sea. Nor will he. In two whole centuries none of his ancestors saw it, except one, dead in the revolution, falsely accused of treason, who always used to wash his hands at the stroke of noon in the old greened-over fountain.

I L Y A UN JOUR où tout à coup j'apercois cet objet qui, depuis dix ans, était sous mes yeux et qu'en réalité je n'avais jamais véritablement vu. Aussi bien les hommes oublient-ils les bibelots de leur chambre, le motif de leur papier de tapisserie, les visages de leurs chenets, jusqu'au jour où les prend—comme on dit dans un certain langage—la mort sans phrases. Tout d'un coup, ce bol oublié se rappelle à moi, s'impose, j'ai peur qu'il ne tombe de mes mains et ne laisse plus sur un tapis représentant deux éléphants avec leurs tours que de luisants débris qu'il faudra tristement ramasser. Ce bol fut autrefois lavé par des servantes caquetantes qu'entouraient des nuages et des vapeurs, qu'encadraient des lueurs de cuivre et d'étain. Le monde était neuf. Beaucoup d'hommes d'alors ont fait des morts. Tout conspire maintenant sans eux contre le néant et jusqu'en ces capitales où ont fini par s'installer de nouvelles chambres de tortures. J'y pense, le bol entre les mains. L'artisan qui l'a faconne gardait peut-être fière allure, doux regard, était peut-être seul au monde.

ONE DAY I suddenly notice this object within my sight for ten years and which in fact I had never truly seen. Likewise men forget the knick-knacks in their bedrooms, the patterns of their wallpaper, the faces on their andirons, until the day death takes them, as the saying goes, without formalities. Suddenly this forgotten bowl speaks to me, imposes its presence. I'm afraid it will fall from my hands, and on the rug depicting two elephants and their howdahs nothing will be left of it but shining fragments that have to be picked up sadly. The bowl was once washed by chattering maidservants surrounded by clouds and vapors, framed in glints of copper and tin. The world was new. In those days many men killed. Now everything plots without them against nothingness, even in the capitals where torture chambers have come back again. I think it over, the bowl in my hands. Whatever craftsman fashioned it perhaps kept a proud look about him, a modest glance, was perhaps alone in the world.

U N CHANT s'élève de chaque objet. L'artisan y a
enfermé un peu de son corps qui avait bien connu
l'amour, puis avait porté longtemps une maladie, à
moins qu'il ne se fût simplement éteint de
vieillesse. Chant du bois, de l'acier, du cuivre. On
entend à travers les siècles ricaner les bourreaux, les
filles rire d'une voix sauvage, les folles bêler,
l'enfant gazouiller. L'objet ne s'évanouit pas. On
trouve de si multiples choses dans les poches des
voyageurs: des canifs, de petits carnets, une
minuscule vis oubliée lors d'un démontage, un bout
de ficelle entortillé, quelques graines de carottes ou
de panais, de ces mêmes graines que l'homme, alors
sédentaire et courbé vers la terre lançait dans le
petit sillon qu'il avait creusé dans la plate-bande de
l'enclos. Devant les yeux du promeneur, l'horizon
se dilue. Lui, porte en tête maint secret, des restes
d'amour, des desirs un moment consistants, mais
qui s'évaporent tandis que l'objet, même s'il l'a
oublié, reste en poche comme un talisman.
Fouillant un jour les vieux vêtements dans lesquels
notre corps alourdi et guetté, fut-ce de très loin par
la mort, n'entre plus, on retrouve le rouage d'une
frêle machine dont on doit faire effort pour
retrouver l'usage. On le retourne longtemps entre
ses doigts alors qu'au loin se couche un soleil
d'histoire.

A CHANT goes up from every object. The craftsman enclosed in it a bit of his body that had known love well, then carried a long illness, or simply succumbed to old age. Chant of wood, steel, copper. Across the centuries you hear henchmen snicker, girls laugh with wild voices, madwomen bleat, a baby gurgle. But the object doesn't vanish. You find such multifarious things in travelers' pockets: penknives, small notebooks, a miniscule screw left over from some dismantling, a tangled piece of string, a few carrot or parsnip seeds—the same kind of seeds the man, bent toward the earth, threw in the little furrow he'd dug in the fenced yard's flowerbed, back when he was a homebody. The horizon thins out before the eyes of a man out taking a walk. His mind carries many a secret, scraps of love, desires that are one moment solid but then evaporate, while the object, even if he's forgotten it, stays in his pocket like a talisman. Rummaging through the old clothes your thickening body no longer fits—the body death keeps an eye on, even if at a distance—you find the movement of a frail machine. You have to think hard to remember what it's for. You turn it over and over in your fingers while a legendary sun sets, far away.

LA FINESSE DES CHOSES donne sa noblesse à l'univers. Derrière chacune un mot de passe reste caché. Ces tasses si fragiles, ces verres de cristal, quel tranquille mouvement pour les remiser dans les buffets! C'est montée sur une chaise que la servante s'y emploie quand ils ont leur place sur la plus haute tablette. Ils nous enchaînent au monde dont se croisent les images patinées. C'est ainsi que l'enfant, voyant les vieilles ruches de paille, évoque les huttes gauloises représentées dans son *Histoire de France.* Cet enfant à qui il arrive que sa mère dise: "Tu n'as pas de cœur," et cette phrase en lui multiplie sa résonance; le monde autour de lui se voile, une tristesse s'appesantit sur les toits avec leurs girouettes représentant divers sujets et jusqu'à des chevaux de course montés par leurs jockeys, elle tombe sur les choses et même sur les jouets. C'est une tristesse de fin de monde et de jugement dernier. "Non, répond l'enfant, je n'ai pas un mauvais cœur, puisque j'ai pleuré à la mort de mon grand-pére.—Peut-être bien, reprend la mère, mais n'empêche que tu n'as pas toujours bon cœur." C'est lui dire, à l'enfant, qu'il a pourtant bon cœur quelquefois. Alors, l'univers de nouveau s'éclaire, les choses retrouvent leur éclat, le nuage sa superbe et sa grâce. De nouveau étincèlent les parures et les objets domestiques. On entend la scie grincer sur le bois, les mets bouillir, même si c'est un de ces jour monotones et longs qui ne cessent pourtant pas d'avoir été, même si le souvenir n'en subsiste plus.

THE FINENESS OF THINGS gives the universe
nobility. Behind each thing a password lies hidden.
These fragile cups, these crystal glasses, how
carefully they must be put in the cupboard! The
maid gets up on a chair when they belong on the
highest shelf. They link us to the world whose
tarnished images blur together. In the same way a
boy, seeing old straw beehives, thinks of the Gauls'
huts in his *History of France*. Suppose the boy's
mother happens to say to him, "You're heartless,"
and the sentence echoes deeper and deeper inside
him. The world around him is veiled, sadness hangs
heavily on roofs with weathervanes depicting a
variety of things, even racehorses ridden by their
jockeys. Sadness covers everything, even toys. It's
sadness for the end of the world, for the last
judgment. "No," the child answers, "I'm not a bad
boy, because I cried when grandfather died."
"Maybe so," the mother comes back, "but you
aren't always good." That's like telling him he's
good sometimes, anyway. So the universe clears up
again, things regain their glitter, clouds are proud
and graceful. Once more, decorations and everyday
things sparkle. You hear the saw grinding into
wood, food boiling, even if it's one of those
monotonous long days that persist in having been,
long after the memory of them is gone.

Elle s'arrete interloquée à ce qu'on lui dit,
tenant au bout du bras l'assiette qu'elle avait posée
sur la table. Dehors, l'air est pur, il semble qu'il n'y
ait aucun secret. Quand les cris des enfants sont
trop forts, elle dit: "Ecoutez donc, on n'entend
rien." Les enfants jouent sous la table à toutes
sortes de jeux; ils sont soldats, généraux, prêtres,
puis ils deviennent maîtres d'école. Au-dessus d'eux
on met le couvert. Toutes les assiettes sont
dépareillées: l'une est toute blanche; sur une autre
est une branche d'un arbre indéterminé, sur laquelle
est perché un oiseau rose, comme d'ailleurs la
branche. Une troisième assiette est hexagonale,
ecornée à l'une de ses pointes. Une quatrième
assiette est entourée d'un filet doré. On a posé aussi
les verres sans pied. Les fourchettes sont d'étain.
Les couteaux ont des manches noirs. Une petite fille
sort de la pièce voisine où on lui avait pourtant
défendu de pénétrer. Tout en marchant elle tient
ouvert devant elle un livre de géographie primaire
au vaste format et lit, en séparant chaque syllabe:
"La terre est ronde comme une boule." Sur la table
sont maintenant les cristaux du sel et, sur un grand
plat, la nourriture dans sa sauce pareille à une laque
noire.

S HE STOPS short at something said to her, holding at arm's length the plate she'd just put on the table. Outside, the air's pure, it seems nothing should be a secret. When the children shout too loud, she says to them, "Listen, I can't hear a thing." The children play all sorts of games under the table; they're soldiers, generals, priests, then they become school-teachers. Above them the table is being set. The dishes don't match anymore: one's all white, another has the branch of an indeterminate tree on it and on top of that a bird, pink as the branch. A third plate is hexagonal, one of its points chipped off. A fourth is rimmed in gold. Glasses have also been set. The forks are tin. The knives have black handles. A little girl comes out of the next room, the one she wasn't supposed to go into. Walking along, she holds an outsized beginning geography book open in front of her and reads, stressing each syllable: "The earth is round like a ball." On the table now there are salt crystals and, on a large platter, the food in its sauce that looks like black lacquer.

L'ATTENTION aux choses peut aller jusqu'a leur donner un aspect étrange. Distraites qu'elles sont du temps ne vont-elles pas se figer dans l'éternité? Hagardes sont celles détournees de leur usage ou dont on a oublié l'usage véritable: haches de silex taillé abandonnées sous une vitrine, aiguières de musée, sarcophage qu'un paysan a transformé en mangeoire à porcs. Un fer à cheval rouillé peut aussi être trouvé sur la route, par un matin de guerre. Quant au chemineau porteur de timbale cabossée et de ferrailles dépareilées il examine d'un œil sagace chacune des trouvailles qu'il arrache au sentier, à la haie ou même au remblai au-dessus duquel tourbillonnent les mouches d'été.

CLOSE ATTENTION to things may make them seem strange. Removed from time as they are, won't they grow frozen in eternity? Things no longer in use—or whose proper use has been forgotten—are bewildered: carved flint hatchets abandoned in a showcase, museum ewers, the sarcophagus a peasant has turned into a pig trough. A horseshoe might also be found along the road one wartime morning. As for the tramp carrying a battered canteen and odd bits of scrap metal, his knowing eye examines each find he plucks from the footpath, the hedgerow, or even the heap of dirt abuzz with the summer's flies.

QUE L'ECOLIER tire de sa poche une bille, le soldat le vieux couteau d'usage, le maître d'école un vaste mouchoir de couleur, il peut se faire que, durant un bref instant, pareils objets, si modestes soient-ils, apparaissent pourtant d'un prix inestimable. Tout un monde riche d'anniversaires se découvre quand la femme d'âge sort d'entre les piles de linge d'une grande armoire la boîte de baptême qui contient ces images pieuses de première communion avec leurs ciboires dorés et leur Sauveur rouge et bleu. C'est dans un moment de répit qu'elle ouvre cette boîte précieuse pour la refermer après une courte et muette contemplation car il y a bien toujours une heure qui sonne: l'heure de balayer, l'heure de coudre, l'heure aussi de soigner ses bêtes qui se plaignent quand ne leur arrivent point fourrages, pâtées ou débris sanglants.

SHOULD THE SCHOOLBOY pull a marble out of his pocket, the soldier an old familiar knife, the schoolmaster a huge colored handkerchief, it might be that for a brief instant, such objects, humble as they are, seem priceless. A whole world rich in anniversaries is revealed when a matron takes out, from beneath stacks of linen in a large closet, a baptismal box containing First Communion pictures with their golden chalices and red and blue Saviour. In a spare moment she opens this precious box only to close it after a short, silent contemplation, since of course the clock is always striking: time to sweep, time to sew, time too for feeding the animals that complain when they get no fodder, mash, or bloody scraps.

IL EST DES MOMENTS où l'enfant se déprend de ses jouets neufs ou usagés. Il ressent le silence entourant les objets de la maison qui garde malgré tout son odeur privilégiée. Bien autrement que les jouets vont l'attirer les éléments, surtout le feu et l'eau. Trouble joie que celle qu'il aura à voir brûler un cheval de carton. Aussi bien saura-t-il transformer la terre sèche en boue qu'il maniera de longues heures en quête de mystère. Il y a aussi pour sa délectation, de somptueuses matières, telle la suie des grandes cheminées qui forme des carapaces et des croûtes et tombe par plaques. Cette suie réduite en poussière et mélangée au vin ne servait-elle pas autrefois à faire dans les villages de l'encre dont usaient les tabellions eux-mêmes? Avec la nuit qui monte, la curiosité de l'enfant s'apaise tandis que parfois l'ivrogne, chantonnant contre vents et marées, s'engage, s'oriente mal, son baluchon sur l'épaule, irrémédiablement dans le traître étang silencieux, pour y mourir.

T HERE ARE MOMENTS the child isn't drawn to his toys, whether old or brand new. He feels the silence surrounding objects in the house, which keeps its special smell in spite of everything. Quite differently from toys the elements will attract him, above all fire and water. It's a turbid joy he'll feel watching a cardboard horse burn. Likewise he'll be able to change dry earth to mud he'll handle for hours, eager for mystery. There's also, for his delight, sumptuous matter: the soot from tall chimneys forms thick shells, forms crusts, and falls off in slabs. Didn't this soot, pulverized and mixed with wine, once serve as ink for village scriveners? As night comes on, the child's curiosity subsides. While sometimes a drunk, singing to keep his hopes up, pack slung over his shoulder, starts on his floundering but irreversible path into the silent traitor of a pond, where he dies.

LES LAVEUSES de vaisselle parlaient d'abondance. On entendait le choc des verres et des bols. Les vitres ne tremblaient pas à travers lesquelles on apercevait un grand hangar qui contenait plusieurs roues, l'une était celle d'un tricycle, l'autre celle d'un landau enfantin longtemps si cérémonieusement promené sous des platanes. Parfois les femmes s'arrêtaient; gardant dans la main l'assiette de porcelaine, elles levaient la tête, fermant un peu les yeux, tâchant de se rappeler un nom, une date qu'elles avaient oubliés. A leurs pieds, le chat léchait du lait dans une soucoupe. L'avenir pourtant était plein de paysages atroces, de baraquements sanglants mordus par le vent, de torpeurs dans des wagons plombés. Pour l'heure, il n'en était pas question. Il y avait la netteté des services de table et les ustensiles luisants en contact avec la peau attendrie de ces laveuses qui, dans une couple d'heures, diraient: "Voilà la nuit, il faut allumer, on n'y voit plus."

THE WOMEN washing dishes were full of talk. You could hear glasses and bowls colliding. Through calm windows you could see a large shed containing several wheels, one from a tricycle, another from a child's stroller pushed so long, so ceremoniously beneath the sycamores. Sometimes the women would stop; still holding porcelain plates in their hands, they'd tilt their heads, squinting a little, trying to remember a forgotten name or date. At their feet, the cat licked milk from a saucer. The future was nonetheless full of hideous landscapes, bloody barracks bitten by the wind, stupor in armored railroad cars. For the time being, it was unheard of. There was the neatness of table settings and shining kitchen utensils touching the softened skin of the dishwashers, these women who, in a couple of hours, would say: "It's getting dark, let's light the lamps, you can't see a thing."

Il y a de ces territoires qui ne sont ni tout à fait la campagne ni tout à fait la ville. La végétation y croît poussiéreuse. Dans de petits clos sèchent des lessives. Les gens de ces lieux gardent allure d'exilés. On les voit pourtant bercer des enfants et rapporter de boutiques chétives ces produits alimentaires en paquets décorés d'usines en perspective. Les posant sur la table, ils disent: "Voilà, je n'ai rencontré personne." Leur fils les regarde tenant un pantin dont la peinture s'en va, qu'il va bientôt délaisser pour ne plus s'occuper sur la route que des cailloux qui, si vieux qu'ils soient, deviennent jouets d'élection.

SOME TERRITORIES are neither completely country nor completely city. Plants are coated with dust as they grow. Laundry dries in small fenced-in lots. People from these places have the look of exiles. Still they can be seen rocking babies, bringing home from small, shabby stores their groceries, packaged food, boxes with pictures of factories in linear perspective. Putting the packages on the table, they say: "I didn't meet a soul." Their son looks at them; he's holding a puppet with peeling paint that he'll soon give up, and then he'll only look for pebbles along the road. Old as they are, they become his favorite toys.

D ES HAMEAUX gardent encore l'odeur qu'ils avaient au temps de la frugalité alors que les journaliers ruraux ne mangeaient que rarement les viandes. C'est près d'un éboulis de pierres entre lesquelles croît la valériane, d'une barrière disloquée dans l'éblouissement de la lumière que cette subtile odeur de campagne pauvre monte au ciel. Que les chiens aboient comme au temps de la Gaule ou de la Palestine christique, c'est qu'ils entendent la venue d'une carriole pleine d'une jeunesse campagnarde modernement vêtue. Quand apparaît le robuste attelage, cette vapeur de temps révolu s'éparpille avec les cris de garçons et de filles ensoleillés: tout le paysage se rassemble aux appels de l'heure présente, y consent.

H AMLETS still keep the smell they had in frugal times, back when fieldhands rarely ate meat. In blinding light near a pile of old stones with valerian growing among them, near a broken-down fence, is where the subtle smell of poor country rises to the sky. If dogs bark as they did in Gaul, or Palestine in the days of Christ, it's because they hear a cart full of country youth in modern dress. When the team of sturdy horses appears, the vapor of time gone by scatters with the cries of sunstruck boys and girls: the landscape comes together again at this summons to the present, agrees to it.

CETTE PLANTE si particulière, car la fleur n'en
dure jamais que quelques heures, s'est mise à éclore
ce matin que les propriétaires du jardin se sont
absentés. De pétales tigrés, elle se balance aux
brises comme tant d'autres plus communes. Tout
est d'une terrible douceur. Dans un coin ombragé
s'est établie une colonie d'insectes corsetés, vieil or.
Aux alentours, on monte précipitamment des
marches; on les descend. Une main s'arrête sur la
rampe d'un escalier de chêne: chaque minute
tombe. A six heures du soir, la fleur sera flétrie,
l'horizon commencera de pâlir, un groupe de jeunes
filles de chanter sans faiblesse ni honte.

THIS PLANT, so exceptional since its flower never lasts more than a few hours, broke into blossom on a morning the garden's owners weren't at home. With its speckled petals, it bends in the breeze like so many other more common flowers. There's a terrible sweetness to everything. A colony of armored insects, old gold, has moved into a shaded corner. Nearby, people hurry up and down steps. A hand stops on the rail of an oaken stairway; every minute falls. At six in the evening, the flower will be withered, the horizon will begin to grow pale, a group of girls will start to sing with no weakness or shame.

ON PEUT AVOIR l'impression que les villes sont bien nos lieux de contact avec le destin, qui déploient leurs perspectives frémissantes, leurs éventails de ruelles. Des couloirs y aboutissent à des portes brunes derrière lesquelles s'étouffent des bruits de couples. Les visages ne se croisent pas toujours sans un signe. Les regards semblent parfois vulnérables. Les horloges publiques demeurent souvent arrêtées: alors stagne la durée. Mais l'aurore baignera de sa tranquille beauté un monument à flèches ou coupole, les premières fleurs d'un marché couvert où une femme fraîchement lavée crie ses roses.

Y OU CAN GET the impression that cities are really our point of contact with fate, spreading out their shimmering perspectives, the fans of their back streets. Hallways end at brown doors: behind them, you hardly hear the muffled sounds of couples. People don't always pass each other with blank faces. Sometimes their glances seem vulnerable. Often the public clocks are stopped: then time goes nowhere. But dawn, with its tranquil beauty, will bathe some monument's steeple or dome, or the first flowers in an indoor market where a freshly washed woman cries Roses for Sale.

LE CANTONNIER qui ramasse les fleurs fanées en fait de petits tas. Si l'on regardait par le soupirail, on apercevrait un boulanger peindre des brioches à l'œuf battu. Monté sur un des hauts échelons d'une échelle double, un peintre en lettres commence une majuscule méticuleusement sous le ciel forcené d'un mois brûlant.

Une fontaine surmontée d'un mascaron grimacant ne coule plus. "Rien à faire," dit une voix derrière des contrevents. Entre pavés, une plante a donné une herbe jaune qui peut-être finira sans que personne l'ait détruite. Gardent le plus chance de vie ces végétaux minuscules poussant aux fentes des murs. Des gouttières de plomb montrent leur bleu-gris. Dans un passage frappe un marteau manifestant un travail sédentaire. Enfin, le vent descend de la colline où s'élèvent des tombeaux.

THE COUNTY groundskeeper picks wilted flowers and puts them in little piles. If you looked through the basement window, you could see the baker painting his brioches with beaten eggs. On a high rung of an extension ladder, a signpainter meticulously begins a capital letter beneath the sky this burning month has driven to distration.

A fountain topped by a grotesque grimacing mask no longer works. "What can you do?" says a voice behind shutters. Between cobblestones, a plant has pushed out a yellow shoot that just might end up not being crushed by someone. Minuscule plants growing in the cracks of walls have the best chance of survival. Lead gutters show their blue-gray. In a courtyard hammering speaks of slow, steady work. Finally, the wind comes down from the hill where tombs stand.

DES VITRINES commencent de s'allumer: étalages
pour éloigner la guerre et la faim, avec de grandes
poupées aux yeux à cils véritables, à paupières qui
se ferment. La devanture aux bijoux qui s'éclairent
tente un regard. Le mur blanc prend couleur des
reines-claudes. Le ruisseau au long du trottoir
semble charrier un alcool rouge au lieu d'eau sale.
Des fumées d'un vert d'absinthe sortent des toits
muets. Un passant, qui n'a jamais écrit que pour
signer son nom avec un porte-plume à manche de
bois ravagé, ressent cette robuste beauté. Il n'est
pas jusqu'au coléreux qui, voyant sa main rendue
orangée par le couchant, ne se taise surpris devant
les siens qui le redoutent, peut-être même
l'absolvent de ses fureurs.

STORE WINDOWS start to light up: displays that banish thoughts of war or hunger, huge dolls with lifelike lashes, eyelids that close. A storefront with shining jewels catches your eye. A white wall takes on a greengage tint. A gutter along the sidewalk seems to be running with a red liqueur instead of dirty water. Absinthe-green smoke floats up from mute roofs. There's a passerby who's never written a word except his signature, using a pen with a beat-up wooden holder. He senses this bursting beauty. And the man with a terrible temper, seeing his hand turned orange by the sunset, stops short, falls silent before his household who fear him, maybe even forgive him his fits.

C'EST UN CARREFOUR, traître à ce qu'on dit. Calme pourtant. On y a vu un homme confectionnant dans du bois tendre un sifflet à un garçon porteur d'un sarreau noir aux plis impeccables faisant deuil et même travesti, dans un paysage où chaque feuille semble à sa place de toute éternité. Dans chacune des fermes de l'alentour, le ragoût qu'on mange garde la même odeur. Sur un tronc d'arbre se voit l'affiche desséchée d'une vente aux enchères par ordre collée lors d'un régime que suivit un autre à peine plus sanglant.

A CROSSROADS, said to be treacherous. But quiet. A man was seen there whittling green wood into a whistle for a boy in an impeccably pleated black smock. It makes him look like he's in mourning, even in girl's clothing, in a landscape whose every leaf seems in place for eternity. The stew they eat in each of the outlying farms smells the same as ever. On a treetrunk is a tattered auction notice officially posted during a regime to be followed by one only slightly bloodier.

Des mouches meurent sur le ruban de papier couvert de colle qui pend du plafond. Les rondelles multiples du fourneau de fonte entrent parfaitement les unes dans les autres. On s'est posé pour les murs la question de savoir laquelle des teintes serait la moins salissante pour adopter l'ocreux. Dans les chambres, les bois vont du chêne au palissandre. Le bruit des balais et plumeaux n'empêche pas d'entendre les rumeurs. S'il fait vraiment beau, on ouvre grandes les fenêtres. Les aiguilles des pendules bien remontées ne s'arrêtent jamais. Qui se pencherait sur l'appui d'une croisée verrait des silhouettes portant serviette ou outil suivies quelquefois par un chien. Des enfants restent à la maison, enveloppés de vêtements chauds d'une qualité satisfaisante où chaque bouton tient. On croit voir à l'horizon un léger tremblement.

F LIES die on the sticky ribbon hung from the ceiling. The rings on the coal stove burners fit into each other perfectly. The walls were a problem: which color would show the dirt least? They decided on ochre. In the bedrooms, all kinds of wood, from oak to Brazilian rosewood. The whisk of brooms and feather dusters can't keep the noise out. If it's really nice weather, they open the windows wide. The hands on the clock never stop. If you leaned out a window you'd see silhouettes carrying a briefcase or a tool, sometimes followed by a dog. Children stay indoors, wrapped in warm, well-made clothes with every button tight. You think you see a faint tremor on the horizon.

IL Y EN A qui voudraient voir toutes catastrophes s'accomplir à condition d'être plus sûrs qu'après, pour longtemps, tout soit enfin tranquille, avec dans l'air le goût très fin de l'éternel et, tout au plus, de temps à autre, la poussière de tragédie montant d'une colonne brisée, une colonne de théâtre qui n'aurait pas l'air tout à fait vrai. Dans cette vie de décor retrouvée, il importerait de reprendre les masques de bonhomie. Les insectes seraient toujours là, multiformes et caparaçonnés; on aurait alors tout le temps de les étudier, une boisson d'estaminet à la portée de la main, une main à manchette dure comme le sont bien encore celles en traits noirs dessinés au pinceau pour indiquer une direction dans les couloirs ocreux des vieilles administrations. Ce serait alors une vie pleine d'heureux comparses: chiens dociles et chats finauds, servantes en beauté, petis pâtissiers, ramoneurs, savetiers, minutieux bijoutiers. "Mais telle vie ne serait-elle pas méprisable, malgré tous les soleils couchants de parade qui pourraient s'y réunir?" pense aussi l'homme rappelé à l'inquiétude des jours présents.

THERE ARE THOSE who would like to have all catastrophes happen and be done with—so long as they're sure that afterwards all will be calm for a long time, with the finest hint of the eternal in the air. And, at most, once in a while, the dust of tragedy will rise from a broken column, a theatrical column that wouldn't look quite right. In this life of keeping up the old appearances you'd need to put up a good-natured front. The insects would still be 'there, multiform and well armored; there'd be plenty of time to study them, a drink, if you wanted one, close at hand. The hand would be wearing starched cuffs, like those on finely drawn hands you still find pointing the way down some small town hall's yellowed corridors. So it would be a life of happy bit players: docile dogs, cunning cats, comely housemaids, bakers, delivery boys, chimney-sweeps, cobblers, punctilious jewelers. "But wouldn't a life like that be despicable, even with all the spectacular sunsets it might entail?" you think, called back to the restlessness of days present.

DANS L'ETE de mil neuf cent dix, sur l'emplacement du champ de courses de la ville, se déroule une fête d'aviation. On en afficha l'annonce sur les portes des remises. Il ne doit y avoir qu'un seul appareil, un unique aviateur, assez pour exalter. Tout un peuple endimanché de la ville et des campagnes s'est rendu à cette manifestation, première du genre dans le chef-lieu. L'aviateur porte un équipement semblable à celui de Blériot. Les flèches de la cathédrale sont dominées par l'appareil qu'un concours de citadins, épiciers, professeurs, robins, salue du chapeau comme la conquête du siècle. Tout cependant reste calme, pacifique, comme à l'interieur d'une boule de verre, malgré que des paysannes engoncées dans les vêtements pareils à ceux du Moyen Age levant des têtes ridées, regardent ce monoplan, en prononçant doucement l'interjection de crainte et d'étonnement: "Hélas! hélas!"

During the summer of 1910, an air show is put on at the city racetrack. The posters for it were hung on barn doors. There's only going to be one plane, a single aviator, enough to be thrilling. Everyone, from town or country, dressed in Sunday best, turns out for the exhibition, the first of its kind at the county seat. The aviator wears an outfit like Blériot's. The cathedral spires are topped by this plane that a body of citizens, grocers, teachers, dignitaries, takes off its hat to as the conquest of the century. Still, everything stays calm, pacified, like a tiny village in a glass ball, although peasant women in their starched costume unchanged since the Middle Ages raise their wrinkled heads, look at the monoplane, and softly pronounce the astonished and fearful interjection: Alas! alas!

IL ARRIVE qu'une famille garde pendant des lustres un chapeau d'étranger venu coucher pour une nuit et reparti dès l'aube sans l'emporter. Que la ville retrouve sa lumière de drame, ce chapeau insolite y a sa place. Ailleurs, les épaulettes d'argent d'un adjudant constituent une relique suspendue en sautoir au revers d'une porte d'armoire. Le sous-officier avait vécu dans la maison à la faveur d'un billet de logement. Quand il partit de si bonne heure, les oiseaux n'avaient pas encore chanté et nul habitant pris son travail. Finalement, de pareils objets arrivent à disparaître qui tout au plus resurgiront dans la mémoire d'un insomnieux couché en chien de fusil dans le lit de la dernière auberge d'un pays découragé.

F OR YEARS ON END a family may keep the hat a stranger, on a one-night visit and gone by dawn, left behind him. If the city comes to act out another drama, this bizarre hat will have a part. Elsewhere, an adjutant's silver epaulettes slung on a hook inside an armoire door are something of a relic. A billet brought the young officer to the house. He left so early the birds hadn't started to sing and no one was at the day's work. At length such objects disappear, with a slim chance of surfacing in the memory of an insomniac curled tight in bed in some downhearted district's last hotel.

En 1880, la chevelure compte fort dans l'impression que donnent les femmes, dans leur valeur de charme. Au matin, par une fenêtre entrouverte, on aperçoit ces longs flots noirs, chataîns, bruns, roux ou blonds qui donnent à la créature aspect de bête enchantée. Ils se répandent jusqu'à ces reins que Dieu, aux dires du prédicateur, sonde en même temps que les cœurs. Les porteuses de cheveux rêches envient ceux naturellement ondulés. On en parle comme d'un capital. "Ah! dit-on, qu'elle a de beaux souples cheveux!" En levant la tête de temps en temps pour voir se parfaire ou défaire le ciel du matin, le jardinier fait ses allées, le crissement de son râteau accompagne celui du peigne dans les touffes électrisées reprenant vie après l'alanguissement de la nuit. La confection de la coiffure retient devant l'armoire à glace biseautée alors que, par la fenêtre, arrive l'odeur du lilas. La fixation des épingles appelle l'attention. Il est des jours que les chignons refusent de s'édifier après que l'on a dénoué les longues tresses faites pour le temps du sommeil.

I N 1880, hair counts a lot in the impression women make; it can add to their attraction. In the morning, through a half-opened window, you see those long falls of hair—black, auburn, brown, red, or blond—that make the woman look like some enchanted animal. Their hair spills all the way below the waist, to the place God reads as easily as the heart, according to the preacher. Straight-haired women envy those with naturally curly hair. They talk of it as if it were a private income. "Oh what thick wavy hair she's got," they say. Raising his head from time to time to see the morning sky glint or darken, the gardener tends his beds. His rake rasps along with the noise a comb makes in tufts full of static, coming to again after the languid night. The hair is slowly arranged in front of a bevelled dresser mirror as the smell of lilacs floats through the window. It takes concentration to get the hairpins right. There are days when strict buns refuse to be built up after you've unwoven the long braids made for those hours of sleep.

On voit un soir du début de ce siècle ce mathématicien arriver jusque chez lui ayant en main une cage à oiseau que, distrait à la manière des savants, il a sans qu'il s'en apercoive prise à un étalage du quai des oiseleurs. Ayant cheminé à travers les fiacres jaunes et noirs, il n'a pas vu dans une ruelle un chien s'enfuir avec un gigot dans la gueule, poursuivi par un boucher furieux et moustachu. Dans l'avenir va trembler le souvenir de ces heures dérisoires. Des citoyens qui auront survécu aux massacres seront bras croisés, sur des chaises tressées, revoyant le fantôme du professeur en noir à redingote bien brossée tenant sa cage inhabitée.

ONE EVENING at the turn of the century you see a mathematician reach home carrying a birdcage. Absent-minded as scholars will be, he took it without even noticing from a sidewalk display on the birdseller's quay. Threading his way through black and yellow hansoms, he didn't see the dog running down an alleyway with a leg of lamb in its mouth, or the furious, mustachioed butcher giving chase. In the future the memory of such ludicrous times will flicker. Citizens who have survived the massacres will be sitting on caned chairs, arms crossed, before their eyes the ghost of the professor all in black, his well-brushed cutaway, the uninhabited cage in his hand.

DANS DES MAISONS où l'on entre avec précaution, il faut, la porte ouverte, monter un escalier avant que d'arriver à la pièce habitée. D'en bas, la visiteuse s'enquiert: "Etes-vous là?" Et l'habitante isolée répond: "Oui, je vous attends, montez." Celle qui rend visite enlève alors ses sabots pour ne pas salir. Le bois de l'escalier va geindre sous son pas. C'est bien cela aller voir le monde: il faut y mettre un rien de cérémonie. Quand toutes deux sont assises face à face, elles parlent avec précaution et leurs ombres s'approchent sur la blancheur morte du mur. A l'entour d'elles, s'impose la sècheresse végétale: osier des paniers, noisettes d'un autre été, grappes de haricots jaunis suspendues pour la semence. Rien qui étonne.

I N HOUSES one approaches carefully there are stairs to be climbed, once the door's open, before reaching the one room that's lived in. From below, the woman who's calling inquires, "Are you there?" And the woman who's up there alone answers, "Yes, I'm waiting for you to come up." The visitor takes off her clogs so she won't track in dirt. The wooden stairs will groan under her weight. That's what it's like to go out in society: one has to observe unwritten rules of etiquette. When the two women are sitting face to face, they speak guardedly and their shadows almost touch on dead white walls. A vegetable aridity takes hold of the space around them: wicker breadbaskets, some other summer's nuts, yellowed bunches of beans hung up to go to seed. Nothing out of place.

Lors du repas, le fonctionnaire s'exaspère des viandes mal cuites, pas du tourbillon des miasmes. Son aîné découpe son pain de façon fantaisiste, sa mère prononce: "Il a toute l'existence devant lui." L'adolescent devine que la colère de son père va surgir à son propos, à la fin du repas. Elle s'exaspérera dans l'interrogation: "Que deviendras-tu?" Les mains de l'homme remueront fébrilement. La statuette sur la cheminée représente une déesse de bronze dont personne ne remarque un sein nu, le statuaire a laissé l'autre voilé.

Dans l'après-midi, une des femmes monte dans sa chambre pour se regarder dans cette glace d'une armoire qui grince lorsqu'on en ouvre la porte pour y ranger. Elle bombe la poitrine sous la robe noire que mord le soleil.

A T DINNER, a civil servant loses patience with badly cooked meat. Not with poisonous whirlwinds. His oldest son crumbles bread in his own peculiar dreamy fashion, and the mother declares, "He has his whole life in front of him." The boy senses his father's anger about to flare up at him at the end of the meal. It will be at the breaking point as he asks: "What will become of you?" The man's hands will move feverishly. There's a figurine on the mantlepiece, a bronze goddess. No one notices her bare breast. Her maker left the other one draped.

In the afternoon, one of the women goes up to her room to look at herself in the mirrored wardrobe door that creaks when you open it to hang something up. She pushes out her chest beneath a black dress the sunshine bites at.

LE BRUIT du vent ravive d'anciennes journées quand le pain et le vin et même le pain trempé dans le vin avaient un autre goût. Un temps considérable a fini par s'amonceler. Certains chiffres d'années n'évoquent plus rien. Comme sortie des âges, une petite fille apparaît à qui on a bandé les yeux pour jouer au colin-maillard. Entourée de plusieurs autres fillettes qui courent autour d'elle, elle essaie de deviner le nom de qui l'a touchée. Ayant eu le temps de tirer sur une natte ensoleillée, d'un tressage tout special, elle devine et pousse alors un unique cri de contentement qui n'aura jamais son pareil.

T HE SOUND of wind revives the old days when bread and wine and even bread dunked in wine tasted different. A considerable amount of time has piled up. The numbers of certain years no longer evoke anything. A small girl appears blindfolded for blindman's buff, an eternal figure. Several other girls run in a circle around her. Which one has tagged her? Once she's able to tug on a sunlit, uniquely braided pigtail, she guesses and then lets out a singular cry of pleasure which will never know an equal.

D ES ECOLIERS se tenant par la main posent devant le photographe opérant pour l'entrepreneur en cartes postales. Au même moment sonne un trépas: le malheur est venu à bout d'un corps fier. Une chambre étroite, pendant des nuits, s'allumait, s'éteignait, se rallumait, un livre déchiré y restant sur la table. Alors que les enfants, près d'un monument gris, regardent l'objectif, une branche de rosier tressaille; elle manquera de netteté sur le cliché, mais ils y figureront clairement reproduits dans leurs vêtements épais avec un visage d'air modeste, soupçonneux, déjà cruel, dirait peut-être le misanthrope du bourg.

S CHOOLCHILDREN holding hands pose for a photographer from the postcard company. Just then a bell tolls a passing: suffering has had its way with a proud body. For nights on end a cramped room would be light, dark, then light again; a tattered book lay there on a table. While the children, near a grey statue, stare at the lens, one branch of a rosebush quakes; it will be blurred in the photograph, but the children will show up clearly in their bulky clothes. Their faces have a modest look, suspicious, already cruel, the town cynic might say.

QU'UN ENFANT s'écorche dans les sourdes batailles d'après la classe, des parents ne s'en inquiètent pas trop. Les maîtres regagnent leur chambre avec des livres cartonnés. Dans cette fin de jour se développe le parler confidentiel de ceux aimant le face à face à l'ombre. La conversation, partie sur des mots apprêtés, se poursuit assortie de brefs cris d'oiseaux. Un des partenaires entend l'horloge égrener des coups. "Voilà qu'il est déjà l'heure!" clame-t-il. Prétexte trouvé pour s'échapper, ne pas être plus longtemps contredit. Le silence en a gagné. On n'entend plus les écoliers dispersés; chacun chez soi se reprend.

I F A CHILD skins a knee in mock battles after
school, parents don't worry too much about it.
Teachers get back to their rooms with paperbound
books. The day's end encourages the confidential
talk of those fond of tête-à-têtes in the shadows.
The conversation begins with the usual subjects and
goes on, matched by brief birdcalls. One of them
hears the clock mete out its strokes. "Is it already
that late?" he exclaims. An excuse to escape, for no
longer being contradicted. Silence has won ground.
You no longer hear the scattered schoolchildren;
everyone goes home, into himself.

"NOUS SOMMES EGARES," dit l'époux à la femme en chapeau à fleurs, ils ne savent plus lequel des sentiers prendre. La nuit monte. Les oiseaux se taisent. Ils se hasardent. Une clairière apparaît avec une paysanne assise qui leur dit le chemin. Les voilà sauvés. La campagne se repeuple: ils retrouvent vaches et juments calmes. "Dépêchons-nous, dit l'un, l'heure tourne. — Oui, je le sais, repond l'autre." Se montrent les maisons d'un faubourg. Il y a aux fenêtres quantité de gens du peuple hagards, ne disant rien. C'est pour le couple une nouvelle sorte de peur. Blêmes, ils hâtent le pas. Ainsi se poursuit l'histoire de leur vie.

"WE'RE LOST," the husband says to his wife in her flowered hat; they no longer know which way to go. The night comes on. Birds fall silent. They make a wild guess. A clearing turns up, a peasant woman sitting there gives them directions. They're saved. The countryside is full of life again: cows and mares are calm. "Let's hurry up," one of them says, "It's not getting any earlier." "I know, I know," the other replies. They come to houses at the edge of town. The windows are full of staring people saying nothing. For the couple this is a new kind of fear. They blanch and quicken their pace. So goes the story of their life.

LA FRAGILE VOIX d'un enfant lit la bataille du peuple d'Israël contre les Philistins. La nonagénaire aux trois filles mortes âgées de plus de soixante-dix ans, répète: "C'est malheureux, je n'ai pas pu en élever une." Quand le jésuite venu de Chine raconte à sa mère les mœurs des mandarins, elle répond: "Ça se peut bien." L'important reste qu'il garde dans le gousset de sa soutane la montre héritée du père mort. En fumant sa pipe, en tirant sur sa barbe noire, il voit chaque fissure du ciment. Les mains de nombreuses femmes mariées vaquent aux occupations. Les fleurs des papiers à tapisserie par endroits se déchirent. Une fille s'étant dévêtue, son corps tremble dans une douceur qui lui fait mal.

A CHILD'S FRAIL VOICE reads the battle of the Israelites and the Philistines. A woman in her nineties, whose three daughters died past the age of seventy, keeps saying: "It's a shame, I couldn't raise one of them." When the Jesuit back from China tells his mother the customs of the Mandarins, she replies: "Could be." She thinks the important thing is for him to keep his dead father's watch in his hidden cassock pocket. Smoking his pipe, pulling his black beard, he sees every crack in the plaster. Married women's hands do endless chores. Wallpaper flowers are tearing in places. A girl has got undressed, her body trembles with a soft sensation that hurts.

LE PROFESSEUR entre deux âges laisse son jeune fils assis sur ses genoux lui balancer la tête de gauche à droite, de droite à gauche. L'enfant, fatigué du jeu, s'est arrêté, mais le père de continuer le balancement disant: "Maintenant, c'est fini, elle va aller toujours ainsi." L'enfant s'écrie pris d'effroi: "Non," veut conjurer pareil destin. L'homme arrête alors le mouvement, fait tout rentrer dans l'ordre: chaises, buffet, fleurages sur les rideaux, tasse de café noir écumeux à demi bue qu'il finira pour ensuite pétrir une boulette de pain entre pouce et index. Au jardin, des arbustes se tordront au vent soudain levé pour illustrer sa vie.

T HE MIDDLE-AGED TEACHER lets his small son sit on his knees and push his head from left to right, right to left. The child, tired of the game, stops. But the father keeps swaying his head, says: "Well, now you've done it, it'll never stop going back and forth like this." The fear-stricken child shouts, "No," to break the spell. Then the man stops, makes everything return to normal: chairs, sideboard, floral patterns on the curtains, a half-drunk cup of oily cqffee that he will finish only to knead a small ball of bread between index finger and thumb. In the garden, shrubs will twist in a sudden wind—the image of his life.

D ES GENS cherchent à lutter contre le temps. Un animal domestique les y aide. Mais le nombre de bêtes infimes peuplant une demeure, qui en ferait le compte? Dans les rainures du parquet, sur les poutres, du faîte aux fondations, dans la provision de farine, elles appréhendent. Qu'une chemine sur la vitre, un index frêle l'anéantit: tout sombre d'elle: système respiratoire, circulatoire, organes des sens. Mais elle eût pu aussi bien, suivant le bord d'une lourde bassine de cuivre, choir dans l'épaisseur d'une sauce brune, y périr comme l'ouvrier qui, perdant pied, tomba dans la coulée de métal liquide par une nuit étoilée.

P EOPLE try to fight time. A pet is a help. But the number of infinitesimal creatures populating a house—how could you ever count them? They occupy the grooves in the floor, the rafters; they settle from peak to foundations, even in the flour supply. If one of them walks on a windowpane, a slender index finger annihilates it: all of it goes under: respiratory and circulatory systems, sense organs. But it might, on the other hand, walking on the rim of a big heavy copper pot, drop into a thick brown sauce, die there like the worker who lost his step and fell into a vat of molten steel one starry night.

D ES INSOMNIEUX se retournent dans leur lit, leur esprit se butant sur le mot saugrenu, l'idée féroce. Ils voudraient que le sommeil les frappât comme une masse. D'aucuns portent des secrets mal enfouis, savent que quelqu'un a tué, volontairement ou non. Ce qui n'empêche, sur toile de fond, l'enfance d'apparaître avec ses franchises, ruses, avidités, gaucheries, ses costumes dérisoires à soutaches, à dentelles empesées plus insolites à travers les futaies d'un automne fauve.

I NSOMNIACS toss and turn in their beds, their minds pinned by the preposterous word, the relentless idea. They wish sleep would hit them like a brick. Some carry with them badly buried secrets; they know someone has killed, willfully or not. All the same, childhood appears with its candor, tricks, greeds, awkwardness, its silly outfits with braided trim, its starched lace ruffles all the more out of place against this backdrop: full-grown trees in a sepia autumn.

ELLES prononcent: "Cela menace." L'averse venant, toutes rentrent et, pour retrouver une sécurité, ouvrent l'armoire à linge. Besogne promue à son juste rang: compter les draps. Aux jours d'orage, on se conforte mutuellement: "Madame, assure l'une, nous ne pouvons pas être foudroyés, il y a le paratonnerre du collège, celui de la banque, celui de la cathédrale. Ah! nous habiterions de côté des champs, à un kilomètre, peut-être bien, ici pas!" Si la tornade survient au cours d'une visite, elles disent à leur visiteuse à son heure de départ: "Mais vous n'y pensez pas, vous n'allez pas repartir chez vous par ce carnage, cela n'est pas possible." Alors, l'autre reste, son doux visage blêmit à l'instant fragile des éclairs.

T HE WOMEN say: "It looks like rain." The clouds burst, they all go inside and open the linen closet so they'll feel secure. Counting the sheets claims its due importance. On stormy days they'll comfort each other: "It won't hit us," one of them says, "there's the lightning rod at the school, and on the bank, and the cathedral. Oh, maybe if we lived a mile away, out in the open, but not here!" If a gale blows up while someone's visiting, they tell her as she leaves: "You can't be serious, you can't go home in this mess, it's impossible." So she stays, and her sweet face is livid that instant the sky lights up.

AU FOND DU JARDIN se tient la maison, malgré les portes ouvertes, pas une voix n'en monte. Il en est ainsi souvent à la campagne. Alors celui qui revient: soldat en permission, missionnaire des pays chauds ou adolescent sans métier, franchit un seuil. La vaisselle reste calme. L'horloge à poids de pierre marche. Le village a émigré aux champs. Solitude sur les routes, au levant comme au couchant, mais chaque feuille des haies lutte à plein contre sa mort. Alors le revenant prononce la phrase consacrée: "Ya-t-il du monde?" Les choses montrent un tel regard qu'il lui faut bien admettre qu'il n'y a personne. Jusqu'à quand? Il est vrai qu'on ne peut s'asseoir pour attendre en pleine lumière.

T HE HOUSE sits well back; the doors are open but no voice comes from it. It's often like that in the country. Then whoever's come back—a soldier on leave, a missionary back from the tropics, an unapprenticed boy—steps in. Dishes stay calm. The clock with stone weights is running. The village has moved to the fields. Solitude along the roads, looking east or west, but the hedgerows' each leaf gives its all against its death. Then the one who's back home pronounces the time-honored words: "Anybody here?" Every sign suggests he might as well admit there's no one there. It's true you can't sit down to wait in all this light.

U NE EPOUSE dit au quinquagénaire: "Mets ton chapeau, tu vas avoir froid à la tête." Alors, il a coiffé son rond feutre dur. Longue en serait la description, si on voulait la faire méticuleuse: le ruban, la bordure en diagonale serrée et qui plus que tout le reste s'use, la coiffe blanche frappée en lettres d'or d'un nom de chapelier qui s'efface, le cuir auquel on a fixé des initiales. On a tué facilement, au cours des émeutes, des hommes qui portaient de pareils chapeaux. Ils tombaient face contre le sol, leur coiffure noire roulant sur la terre sèche ou fendillée ou pluvieuse, ou même couverte de neige.

Restée seule à la maison, la femme regarde par la fenêtre ne voyant que quelques arbres sous le ciel.

A MIDDLE-AGED man's wife tells him: "Put on your hat, you'll be cold." So he puts on his derby. It would take a long time to describe it, if you wanted to be exact: the band, the tight stitching at the brim that wears out faster than anything else, the white lining with the hat shop's name stamped in gold and rubbing off, the leather band inside with the wearer's monogram. During riots men wearing such hats were easy targets. They fell to the ground, their black hats rolling on the earth that was dry or cracked or sodden, or even covered with snow.

Alone at home now, the woman looks out the window, sees only a few trees and the sky.

Select Bibliography

CINQ, poems, with five engravings by Marcel Poncet, Editions Rose des vents, 1933.

LA MAIN CHAUDE, poems, with a preface by André Salmon, Editions Corrêa, 1933.

PARIS, prose, Editions Corrêa, 1935. New edition from Editions Phébus, 1978.

CHANTS TERRESTRES, poems, Editions Denoel, 1937.

L'EPICERIE D'ENFANCE, prose, Editions Corrêa, 1938.

ICI-BAS, poems, Editions Journal des Poetés, 1941.

CANISY, prose, Editions Gallimard, 1942.

USAGE DU TEMPS, poems, Editions Gallimard, 1943.

EXISTER, poems, Editions Gallimard, 1947.

CHEF-LIEU, prose, Editions Gallimard, 1950.

TERRITOIRES, poems, Editions Gallimard, 1957.

JEAN FOLLAIN, selected poems and prose, with an essay by André Dhôtel, Editions Seghers "Poetés d'aujourd'hui" collection, 1956; revised and expanded, 1972.

TOUT INSTANT, prose, Editions Gallimard, 1957.

DES HEURES, poems, Editions Gallimard, 1960.

POEMES ET PROSE CHOISIS, Editions Gallimard, 1961.

APPAREIL DE LA TERRE, poems and prose, Editions Gallimard, 1964.

CELEBRATION DE LA POMME DE TERRE, prose, Editions Robert Morel, 1965.

P. ALBERT-BIROT, in Editions Seghers, "Poetés d'aujourd'hui" collection, 1967.

D'APRES TOUT, poems, Editions Gallimard, 1967.

EXISTER and TERRITOIRES, with a foreword by Henri Thomas, Editions Gallimard, 1969.

ESPACES D'INSTANT, poems, Editions Gallimard, 1971.

COLLEGE, prose, with a foreword by Marcel Arland, Editions Gallimard, 1973.

COMME JAMAIS, poems, Les Editeurs Français Réunis, 1976.

PRESENT JOUR, poems, with drawings by D. Esteban,
Editions Galanis, 1978.

Among translations of Jean Follain into English:
TRANSPARENCE OF THE WORLD, poems, tr. W.S. Merwin,
Atheneum, 1969.
12 POEMS, tr. Mary Feeney, Grilled Flowers Press, 1977.
FOLLAIN/INITIATION, prose, tr. Mary Feeney, with a
biographical poem by Frank Graziano, The Bieler
Press, 1979.
POEMS, tr. Clare Sheppard, Charles Boase Editions
(London), 1979.
A WORLD RICH IN ANNIVERSARIES, prose poems, tr.
Mary Feeney and William Matthews, Grilled
Flowers Press, 1979 (revised and redesigned version,
Logbridge-Rhodes, Inc., 1981).
CANISY, prose, tr. Louise Guiney (with the assistance of
Madeleine Follain), Logbridge-Rhodes, Inc., 1981.

Colophon

One thousand copies of *A World Rich In Anniversaries* were printed offset using Times New Roman and Palatino typefaces on 70 pound Lakewood text. Twenty-two copies were hand-bound in boards, numbered, and signed by the translators for the Limited Edition Series. An additional two hundred copies were bound in cloth, and the remainder smyth-sewn and glued in Gray Andorra wrappers, with French Blue flysheets. *A World Rich In Anniversaries*, published in March, 1981, is the companion edition of *Canisy*.